Berend

en de toverkruiden

Eerder verschenen:
Een valk voor Berend
Berend en de aanslag op de hertog

Martine Letterie schreef ook:
Ver van huis
Focke en het geheim van Magnus
Het geheim van de roofridder
Gevecht met de wolf

en samen met Rick de Haas maakte ze het prentenboek:
Ridder in één slag
Zie ook www.martineletterie.nl

www.leopold.nl

Martine Letterie

Berend

en de toverkruiden

met tekeningen van Rick de Haas

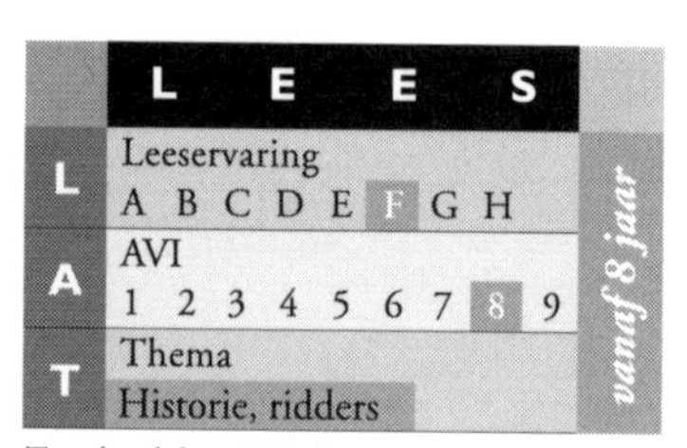

Toegekend door KPC Groep te 's-Hertogenbosch.

Omslagtekening en illustraties Rick de Haas

Omslagtypografie Marjo Starink

NUR 282 / ISBN 90 258 4261 5

Inhoud

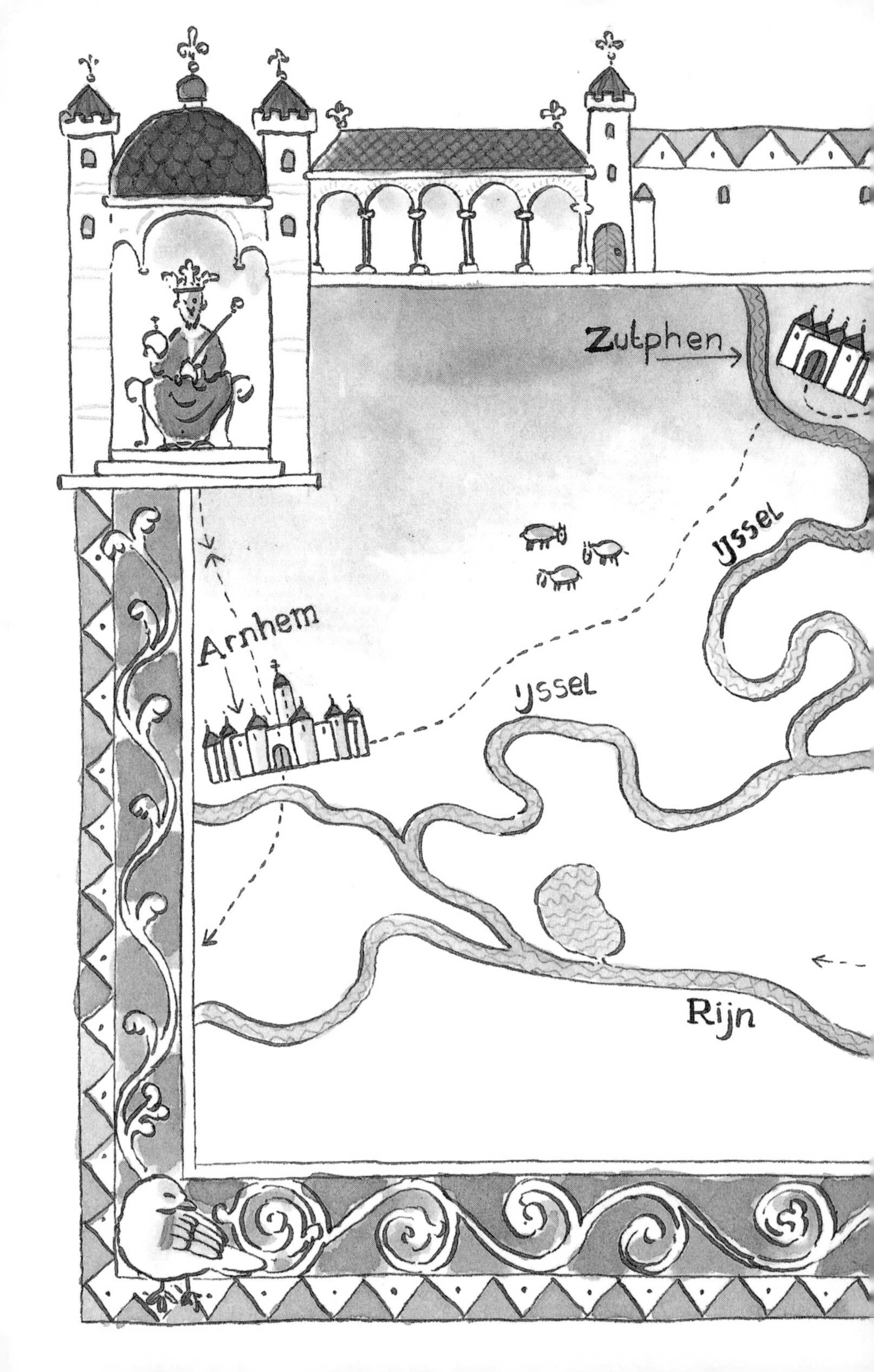
Zutphen
IJSSEL
Arnhem
IJSSEL
Rijn

Wildenborch
Vorden
Ruurlo
Baak
Keppel
oude IJssel
Ulft
Bergh
Lichtenberg
Voorst
Anholt
'sHeerenberg
Naar Graafschap Meurs

Afscheid

'De paarden staan voor!' De stem van de knecht galmt door de hal van het stadshuis aan de Oude Wand in Zutphen.

Het is nog vroeg. Buiten begint het net licht te worden. Maar Berend is allang wakker. Vandaag is een bijzondere dag!

In de grote zaal staat de heer van Vorden in volle wapenrusting. Berend kijkt trots naar zijn vader op. Dan voelt hij even aan zijn eigen kleding. Voor het eerst van zijn leven heeft hij een zwaar leren jak aan, dat bescherming moet bieden tegen zwaarden. Over zijn donkerblonde haar draagt hij een kap van maliën.

Zijn hart bonst in zijn keel. Hij heeft wel eerder gereisd, maar nooit eerder dreigde er zoveel gevaar onderweg. Overal trekken bendes en roofridders rond. Ze durven, omdat de hertog van Gelre in het buitenland woont. Hij merkt er dus niet veel van en ze kunnen ongestraft hun gang gaan.

Voor Berend is deze reis ook anders omdat hij niet naar huis terugkomt. Hij wordt page van graaf Oswald van den Bergh. En een page woont niet thuis, maar in het kasteel van zijn heer. Huis Bergh, het kasteel van graaf Oswald, ligt ver van dat van Berends ouders. Nu Gelre zo onveilig is, zal het lang duren voor hij hen weer ziet.

'Heb je alles?' vraagt moeder voor de zoveelste keer. Ze

houdt haar handen stevig in elkaar geklemd. Berend weet dat dat zijn moeders manier is om te zorgen dat ze niet huilt. Zelf kauwt hij op de binnenkant van zijn wang. Hij is nu te groot om te huilen. Hij wordt immers page.

'We gaan, Berend.' De heer van Vorden kust zijn vrouwe. 'Wees niet bezorgd. Hier in ons stadshuis in Zutphen kan je niets gebeuren.'

Moeder zwijgt. De afgelopen dagen heeft ze al vaak gezegd dat ze het niet eens is met Berends vertrek. Ze vond dat het uitgesteld moest worden tot Gelre weer veilig was.

'Dat is pas als Pasen en Pinksteren op één dag vallen,' had vader gezegd, en daarmee was de beslissing genomen. Gelukkig maar, want Berend heeft lang moeten wachten. Het is al maanden geleden dat de afspraak met Oswald van den Bergh gemaakt werd.

Berend stapt naar voren en geeft haar een kus. Moeder slaat haar armen om hem heen.

'Veel geluk, jongen! Breng de gravin van Bergh en haar dochters mijn hartelijke groeten over. Zodra het kan, komen we je bezoeken.'

Berend drukt even zijn gezicht in haar jurk en hij snuift zijn moeders vertrouwde geur op. Zijn ogen vullen zich met tranen. Dan voelt hij hoe zijn jongste zusje Elizabeth aan zijn been trekt. Hij slikt en bukt zich lachend naar haar toe.

'Dag, geef me maar een kusje.'

'Berend, schiet op! Zo komen we nooit weg.' Vader staat bij de deur. Berend zwaait nog gauw naar zijn zusje

Mechteld, die met rode ogen achter moeder staat.

Berends hond Bruin komt met grote sprongen achter hem aan. Die voelt vast dat er iets spannends te gebeuren staat.

Buiten staan de paarden klaar. Vaders grote zwarte hengst danst onrustig op het hout waarmee de straat is verhard. Er liggen geen keien of stenen. Berends pony Sterre lijkt klein naast het grote dier dat slechts met moeite door de knecht in bedwang kan worden gehouden. Ze zwaait kwiek met haar staart. Ze heeft duidelijk zin in een ritje. Dat kun je niet zeggen van het pakpaard. Gelaten staat het te wachten met Berends bagage op zijn

rug. Twee knechten zitten al in het zadel. De vroege lentezon weerkaatst in hun wapenrusting.

'Zo jongeheer, klaar voor een nieuw leven?' vraagt een van hen.

Berend knikt en het afscheid van zijn moeder en zusjes verdwijnt naar de achtergrond. Hij wordt page van graaf Oswald van den Bergh!

Stapvoets rijdt het gezelschap de stadspoort uit. Berend geniet bij elke stap die Sterre zet. De hele winter heeft hij nauwelijks gereden: het gevaar buiten de muren van Zutphen was te groot. Andere jaren gaat Berends vader met zijn gezin 's zomers altijd naar hun kasteel Vorden, maar nu twijfelt hij of dat verstandig is. De roofridder van Wisch die op de Wildenborch woont, maakt daar de buurt onveilig.

Zou het ooit weer zoals vroeger worden in Gelre?

Berend haalt diep adem. Het ruikt naar lente. Heerlijk! De vogels fluiten, kwikstaartjes duiken over de weg en hij ziet een eekhoorntje wegschieten. Bruin rent er blaffend achteraan.

Voor hem geeft zijn vader zijn paard de sporen. De hengst gaat in galop en de andere volgen. Sterre schiet vooruit. Berend voelt een lach opborrelen: zijn pony voelt zich net als hij.

Door het pakpaard moeten ze grote stukken in stap afleggen. Dat maakt dat de reis niet echt snel gaat. Ze zullen er twee dagen over doen naar Bergh. Vanavond slapen ze op huis Keppel, dat ligt ongeveer halverwege.

Berend weet nu al dat vader de hele avond met de heer

van Keppel zal spreken over de toestand in Gelre. Aan de ene kant is dat misschien een beetje saai. Maar aan de andere kant vindt Berend het heel echt dat hij erbij mag zijn. Het luisteren naar gesprekken over politiek is een deel van zijn opleiding tot page. Vroeger werd hij altijd weggestuurd, maar de laatste maanden is dat anders geworden.

Net voorbij Baak stelt vader voor de paarden te laten rusten. Een van de knechten deelt brood en kaas rond.

'Vader, als de hertog niets doet aan de veiligheid in Gelre, wie moet er dan iets aan doen?'

Nu ze onderweg zijn, voelt Berend dat de bendes overal op de loer liggen. Elke vreemde beweging kan een overval zijn, weet hij. Daarnet schrok hij al van een koe!

Vader haalt zijn schouders op.

'De Staten van Gelre nemen de beslissingen. Maar die doen niets zonder toestemming van de hertog. Ik denk dat een grote heer zoals graaf Oswald van den Bergh nog het meest zou kunnen doen. Hij mag immers rechtspreken. Misschien dat hij de bendes voor zijn eigen rechtbank kan brengen.'

Berends hart zwelt van trots. Dat is zijn heer! Hij gaat naar het kasteel van een van de meest belangrijke heren van Gelre. Als er beslissingen genomen worden, is hij erbij!

Zal hij meemaken hoe Oswald vrede brengt in Gelre?

Aankomst op huis Bergh

De volgende dag rijden Berend en zijn vader aan het eind van de middag de ophaalbrug van ’s-Heerenberg op, het stadje waar huis Bergh bij ligt. De knechten op hun paarden stappen achter hen aan. Ze kijken streng om zich heen. Alsof ze willen zeggen: Waag het niet mijn heer en zijn zoon aan te vallen!

De reis is wonder boven wonder goed verlopen. Niet één keer zijn ze overvallen. Door de verhalen van de heer van Keppel gisteravond, weet Berend dat ze geluk hebben gehad.

Er liggen twee grachten om het stadje en het heeft een stevige stadsmuur. De wachter van de stad is wantrouwig. Hij laat hen niet zo maar door. Met zijn hellebaard stelt hij zich dapper voor de poort op.

‘Waarom bent u zo zwaar bewapend, heer?’

‘Ik kom van Zutphen en het zijn onveilige tijden. Mijn zoon hier wordt page bij graaf Oswald. We konden onze reis niet langer uitstellen.’

‘Bent u niet overvallen door het Onkruyt?’

Vader schudt zijn hoofd.

‘Dan heeft u geluk gehad.’ De wachter gaat opzij en laat Berend, zijn vader en hun knechten de stad in. Stapvoets rijden ze door ’s-Heerenberg. Kinderen vluchten de huizen in bij het zien van de paarden. In de deuropening verschijnen mannen die hen nors nakijken.

‘Dat Onkruyt heeft hier blijkbaar vaak toegeslagen.’ Vader kijkt bezorgd.

Berend knikt. Hij hoopt niet echt wat vader zegt. Hij denkt maar aan één ding: straks ziet hij zijn heer! Hoe zou het kasteel eruitzien? Vader heeft wel verteld dat het mooi is, maar of het zo mooi is als hun huis Vorden...

‘Kijk, daar is de Munt.’ Vader wijst. ‘Daar worden de munten van Bergh geslagen.’ Berend kijkt nauwelijks naar het gebouw, want recht voor zich ziet hij huis Bergh.

Het ligt hoog, omringd door water. Vanaf een stevige vierkante toren wapperen vlaggen met het wapen van graaf Oswald. Voor de brug staat een grote kastanje waarvan de bladeren net uitlopen. Daarachter staat een grote kerk. Zou die bij het huis horen?

Dit kasteel is niet te vergelijken met huis Vorden. Het is groter en indrukwekkender. Dat hij hier gaat wonen! Berends hart lijkt uit zijn voegen te barsten.

‘Kom, we gaan ons melden bij Oswald.’ Vader laat zijn hengst naar voren lopen. De hoeven klinken hard op de ophaalbrug.

Berend kijkt naar zijn vader op. Een ridder die op bezoek gaat bij een ridder. En hijzelf hoort erbij. Hij is geen klein kind meer; van nu af aan hoort hij bij de grote mensenwereld.

Knechten van de graaf van Bergh schieten hun tegemoet zodra ze op het voorplein zijn.

‘Heer van Vorden?’ vraagt er één. Vader knikt.

‘U wordt verwacht. Laat mij u voorgaan naar het huis.’

Een van vaders knechten neemt zijn paard over en een andere pakt de teugel van Sterre, zodat Berend met vader mee kan gaan.

Hij kijkt zijn ogen uit. Het is een drukte van belang op het plein. Overal lopen mannen, vrouwen en kinderen. Het kasteel is een dorp op zich. Berend ziet wasvrouwen en vrouwen die met potten sjouwen. Knechten lopen de stallen in en uit. Een meisje met een tak hoedt ganzen. Er loopt een jongen met geiten. Kippen fladderen voor de voeten van paarden uit. Uit één gebouw klinken de hamerslagen van de smid. Twee kerels rollen een groot vat over het plein. Het kasteel heeft zijn eigen brouwerij. Berend hoort een varken krijsen. Hij lacht: wat kunnen die beesten zich toch altijd aanstellen.

Dat torentje daar, zou dat een gevangenis zijn? Berend weet dat graaf Oswald zelf recht mag spreken. Dus het zou best kunnen.

'Kom Berend, je hebt nog tijd genoeg om alles hier te bekijken.' Vader staat bij de ingang van de grote vierkante toren. Voordat Berend achter hem aan naar binnen stapt, kijkt hij nog gauw even omhoog. Wat een indrukwekkende toren! De wapperende vlaggen zien er prachtig uit.

In de grote zaal brandt een vuur. Berends verbazing kent geen grenzen. Wat is deze zaal hoog en groot! Daar kan die van hun kasteel in Vorden wel drie keer in.

Helemaal aan de andere kant, tegenover de ingang van de zaal, zit graaf Oswald in een zetel. Gravin Elizabeth zit in de vensterbank. Tegenover haar zit een jonge vrouw en naast haar een meisje dat ongeveer even oud lijkt als Berend.

Als graaf Oswald Berend en zijn vader ziet, springt hij op. Hij loopt hun tegemoet met gespreide armen. Het is een grote, brede man met donker haar en een kort gesneden baard. Zijn bruine ogen kijken oplettend. Er zal niet veel zijn, dat die blik ontgaat.

'Jacob! Berend! Wat goed dat jullie er zijn! Is er niets met jullie gebeurd onderweg? Heeft het Onkruyt jullie ongedeerd gelaten?'

Hij klopt Berend even op zijn schouder. 'De dappere held die onze hertog het leven heeft gered*.'

Dan kijkt hij om zich heen. 'Gijsbert, kom eens hier.'

Een grote, grofgebouwde jongen stapt naar voren. Zijn ogen staan ernstig in zijn pukkelige gezicht. Hij zal een jaar of vijftien zijn.

'Gijsbert, dit is Berend, onze nieuwe page. Berend, Gijsbert is mijn schildknaap. Hij zal je wegwijs maken en je zeggen wat je moet doen. Ik heb daar niet altijd tijd voor.'

Graaf Oswald draait zich weer naar vader.

'Jacob, kom zitten. We moeten de situatie in Gelre bespreken. Ik word helemaal gek van dat Onkruyt.' Vader en hij lopen naar het vuur. Vader is smaller en Oswald steekt een kop boven hem uit.

'Jij moet ze nu wat te drinken inschenken,' vertelt Gijsbert. 'Ik zal je wijzen waar de keuken is.'

Berend volgt hem. Hij kijkt nog snel één keer om naar Oswald. Wat is toch dat Onkruyt waar iedereen het steeds over heeft?

* zie: *Berend en de aanslag op de hertog.*

De opleiding van meisjes

Vader is de volgende dag meteen vertrokken. Na wat Oswald hem had verteld besefte hij nog beter hoe gevaarlijk de toestand in Gelre is. Daarom wilde hij zo snel mogelijk terug naar moeder en de meisjes. Het afscheid van zijn zoon duurde maar kort; Berend kreeg geen tijd om verdrietig te worden.

Nu is hij al een week op huis Bergh en hij denkt nauwelijks aan thuis. Er is zoveel te zien en zoveel mee te maken, dat zijn hoofd er af en toe van duizelt.

Vandaag is Oswald met zijn zoon Willem naar huis Ulft, dat ook van de familie Van den Bergh is. Oswald heeft Berend kort uitgelegd wat ze daar gingen doen.

'Het Onkruyt teistert mijn bezittingen al maanden. Vooral in de omgeving van Ulft is hij lastig. We gaan kijken hoe de toestand daar is.'

Berend heeft nog steeds niet durven vragen wie of wat dat Onkruyt is. Hij is een beetje verlegen in het grote gezelschap van de familie Van den Bergh. Bovendien wordt er elke dag over het Onkruyt gesproken. En dan is het wel heel dom als je niet eens weet waar het over gaat.

Gijsbert is mee uitgereden naar Ulft.

'Ga ik ook mee?' vroeg Berend hem.

'Nee, jij mag bij de vrouwen blijven,' zei Gijsbert spottend. 'Verdedig ze maar goed.'

Dus daar zit hij dan. In de vensterbank tegenover de

gravin van Bergh en haar dochters Anna en Walburga. Anna is al een groot mens. Samen met haar moeder zit ze te borduren. Ze doen allebei alsof hij er niet is. Berend voelt zich opgelaten en klein. Als page stel je dus nog niet veel voor, denkt hij. Hij kijkt naar buiten. Het regent pijpenstelen. Geen weer om naar de stallen te gaan. Bruin legt zijn kopje tegen zijn been en jankt zachtjes.

'Hé, page,' klinkt het dan ineens tegenover hem.

Berend kijkt op. Het is Walburga die tegen hem spreekt. Haar bruine ogen glanzen. Haar donkere haar is op een ingewikkelde manier om haar hoofd gevlochten, op haar voorhoofd zijn een paar kleine krulletjes aan het kapsel ontsnapt.

'Ga je mee een vensterbank verder zitten? Dan kunnen we misschien een spelletje doen zonder mijn moeder en zus lastig te vallen.'

Berend knikt en staat op. Hij moet natuurlijk beleefd blijven, maar hij heeft helemaal geen zin in een meidenspelletje. Hij voelt zich zonder dat al klein genoeg. Bruin scharrelt achter hem aan. Die hoopt natuurlijk dat ze iets leuks gaan doen.

'Ik weet wat,' zegt Walburga als ze nauwelijks in de vensterbank zitten. Berend onderdrukt een zucht. Ze is nog bazig ook.

'Om de beurt noemen we iets dat bij onze opleiding hoort. Ik zeg dus iets wat meisjes moeten leren en jij zegt iets dat pages moeten leren.

Berends mond valt bijna open van verbazing. Hoezo, wat meisjes moeten leren? Meisjes leren toch niks? Die blijven op het kasteel tot ze getrouwd zijn en dan krijgen ze kinderen.

Maar hij laat niets merken.

'Begin jij maar,' zegt hij vriendelijk.

'Wij leren lezen, schrijven en zingen.' Walburga kijkt trots. Ze heeft gelijk, dat is natuurlijk bijzonder. Kinderen van gewone mensen leren dat niet.

'Dat leren wij natuurlijk ook,' zegt Berend. Hij wil niet voor haar onderdoen. 'Maar wij gaan bij iemand anders in huis om te leren.'

'Wij ook, hoor!' Walburga kijkt beledigd. 'Vader is in gesprek met heer Bronkhorst-Batenburg, die met zijn jonge vrouw op huis Anholt woont. Zijn vrouw gaat mij waarschijnlijk opleiden. Ze is van heel goede familie.' Ze steekt nog net haar tong niet uit, maar Berend heeft het gevoel dat dat niet veel scheelt.

'Wij leren ons elegant te bewegen,' zegt ze dan.

Berend laat zich niet kisten.

'Wij dekken de tafel en leren zo dienstbaar zijn aan onze heer. Op al zijn wenken moeten we hem bedienen.'

'Wij leren borduren en we maken prachtige figuren.'

'Wij bezorgen boodschappen voor onze heer en zijn bij al zijn gesprekken. Zo leren we over politiek.' Berend kijkt eigenwijs. Wat die meiden leren, dat stelt allemaal niets voor. Borduren leren, wat heb je daar nou aan? En elegant bewegen... wat een onzin.

'Ik zie wel wat je denkt, verwaand varken!' valt Walburga ineens uit. 'Jij vindt alles wat mannen doen belangrijker dan wat vrouwen doen.' Haar donkere ogen fonkelen van boosheid.

Berend haalt verontschuldigend zijn schouders op.

'Dat is toch ook zo. Borduren is natuurlijk heel knap,

maar wat heb je eraan? Uiteindelijk bepalen de mannen toch wat er in een land gebeurt.'

'Jij kijkt niet verder dan je neus lang is. Vrouwen lossen de problemen op en geven richting aan wat er gebeurt.

Denk je nou heus, dat die kerels zelf de beslissingen nemen? Dat fluisteren de vrouwen hen in.'

Kattenkop, denkt Berend, maar hij zegt het niet.

'Wat leer je dan, waar wij werkelijk wat aan hebben?' Berend vraagt het heel vriendelijk, maar Walburga trapt er niet in.

'Hoe durf je dat zó te zeggen! Alles wat wij leren heeft zin!' Ze gaat nog rechter zitten en zet haar handen in haar zij.

'Wij leren werken met kruiden en die zijn overal voor nodig!'

'Toverkruiden, dus.' Berends stem klinkt nu spottend. Hij weet best dat je zieken kunt genezen met kruiden. Maar dat kruiden overal voor nodig zijn – nu overdrijft die Walburga toch echt.

'Voordat ik uit huis ga voor mijn opleiding, zal ik jou laten zien dat kruiden heel belangrijk zijn. Ik zal je bewijzen, dat meisjes net zoveel leren als jongens!'

'Dat is afgesproken!' zegt Berend. Hij merkt dat hij op het puntje van de vensterbank zit. Hij heeft zich niet verveeld tijdens het spel.

Hij kijkt nog eens naar Walburga. Zij zit ook op het puntje van haar vensterbank. Haar handen staan nog steeds in haar zij en haar ogen lijken vuur te spuwen.

Berend schiet in de lach.

'Walburga, ik vind dit een leuk spel!' Hij steekt haar een hand toe.

Walburga's boosheid verdwijnt als sneeuw voor de zon. Ze legt haar hand in de zijne.

'Ik ook. En wedden dat ik gelijk heb?'

Anna en de graaf van Meurs Saarwerden

In de grote zaal is een lange tafel opgesteld. Aan die tafel zitten Oswald en zijn vrouw, hun zoon Willem, hun dochters Anna en Walburga en de bezoeker. Aan het uiteinde zitten de schildknapen bij elkaar. Overal branden kaarsen en in de haard brandt een vriendelijk vuur.

De dames zijn schitterend gekleed. Hun jurken zijn gemaakt van kostbare stoffen in de mooiste kleuren. Juwelen glinsteren in het kaarslicht en ook Oswald ziet er deftig uit.

Dit is niet zomaar een bezoeker. Het is de jonge graaf Johan van Meurs Saarwerden met zijn gezelschap. Berend moet aan tafel dienen, samen met de page van graaf Johan. Hij is nu blij dat hij geen schildknaap is. Als page zit hij overal met zijn neus bovenop.

Heel gedienstig schenkt hij steeds wijn in de bekers van de graaf en van zijn ridder Oswald. Zijn ogen moeten overal tegelijk zijn. Hij moet op elk signaal van Oswald letten, maar ook kijken of ergens nog wijn of brood nodig is.

Hij probeert de tafelgesprekken te volgen. Misschien dat hij dan eindelijk iets over dat Onkruyt hoort. Of iets over de graaf van Meurs Saarwerden zelf. Waarom is hij op bezoek? Heeft het iets met het Onkruyt te maken of is er een andere reden?

Berend wil de jonge graaf nog een keer bijschenken.

Dat is niet makkelijk, want die buigt zich steeds naar Anna, zijn tafeldame. Hij doet zijn best om bij haar in de smaak te vallen, dat zie je zo.

'Uw wijsheid wordt weerspiegeld in uw edele gelaat...' vangt Berend op. Wat een slijmerd, denkt hij. Zo te zien denkt Anna dat ook, want ze kijkt wat verveeld een andere kant uit.

Hij schenkt in zonder te knoeien. Dan vangt hij toevallig Walburga's blik op. Die knikt even veelbetekenend naar het paar. En dan pas snapt hij het. De graaf van Meurs Saarwerden komt om Anna het hof te maken! Wat stom dat hij daar niet eerder aan gedacht heeft.

Berend bekijkt het gezelschap aan tafel nu met heel andere ogen. Gravin Elizabeth doet erg haar best om de graaf te amuseren, als Anna het af laat weten. En Oswald kijkt rondweg bezorgd naar zijn dochter. De graaf is een goede partij, begrijpt Berend. Oswald en zijn vrouw zouden blij zijn, als er huwelijkscontracten werden getekend.

Dan geeft Oswald een teken dat het eten beëindigd is.

'Laat ons bij het vuur gaan zitten. Berend, vul jij onze bekers nog een keer?'

'Natuurlijk heer!' Berend gaat met de kan rond.

De page van de graaf trekt de banken voor het vuur. Als Berend klaar is, schiet hij toe om hem te helpen. Hun heren moeten meteen weer kunnen zitten.

Nu moet hij de meiden in de keuken waarschuwen dat de schalen weggehaald kunnen worden. Zijn collegapage zorgt intussen dat die klaarstaan om meegenomen te worden.

De graaf heeft zelfs een eigen troubadour meegebracht, ziet Berend. De man zit op een kruk aan de voeten van Anna en tokkelt zachtjes op zijn lier. Hij zingt iets over schoonheid, maar Berend kan het niet goed verstaan. Hij helpt de meiden met de schalen. Daarna zoekt hij een plaatsje waar hij alles goed kan zien. Pages zitten niet in de kring met de gasten, maar wel zo dichtbij dat ze meteen kunnen helpen als dat nodig is. Berend kiest de dichtstbijzijnde vensterbank.

Ingespannen luistert hij naar het lied van de troubadour.

'Kun je het goed horen?' klinkt het ineens in zijn oor. Berend wipt op van schrik. Walburga staat vlak naast hem.

'Ik kom even hier zitten. De graaf merkt toch niet of ik er ben of niet.' Ze draait spottend met haar ogen.

Berend kijkt haar aan. 'Ik geloof niet, dat de graaf succes heeft bij Anna,' zegt hij.

'Nee.' Walburga schudt haar hoofd. 'Volgens mijn moeder heeft ze te vaak naar van die liefdesliederen van troubadours geluisterd. Ze gaat er veel te veel in geloven. Bij een huwelijk gaat het om een goed contract, en niet om het edele gelaat van de ridder.'

Berend haalt zijn schouders op. 'Ik weet er niet veel van. Ik heb geen grote zus, dus bij ons wordt dit nog niet besproken.'

'Mijn vader wil graag dat Anna met hem trouwt. Het graafschap van Meurs Saarwerden is groot, en de graaf heeft invloed. Bovendien is hij familie van mijn moeder. En zij vindt het belangrijk dat de banden met haar familie goed blijven.'

‘Tja,’ zegt Berend zachtjes. Hij kijkt nog eens naar Anna. ‘Als ze niet wil, dan wordt het toch lastig. Die graaf wil vast geen vrouw die zo chagrijnig kijkt.’

‘Maak je maar geen zorgen,’ zegt Walburga. ‘Mijn moeder lost dat wel op.’

Berend snapt niet wat ze bedoelt.

‘Ik heb toch gezegd dat vrouwen alles oplossen met kruiden? Ik wed dat mijn moeder straks naar de keuken gaat. En dan brouwt ze iets voor Anna...’

Berend grijnst. ‘Jij vergeet ons spel ook nooit. Maar ik geloof er niets van.’

‘Ga met me mee, dan verstoppen we ons en dan kun je het zelf zien!’

Niet veel later staat gravin Elizabeth op. Walburga knipoogt naar Berend. Die loopt naar de kan wijn die aan Oswalds voeten staat.

‘Ik zal wijn bijhalen,’ zegt hij tegen zijn heer.

Walburga is inmiddels de zaal uitgeglipt en gaat hem voor naar de keuken. Zwijgend wijst ze Berend een schemerig hoekje waar ze ongezien kunnen toekijken.

Eén meid is nog bezig met het schrobben van een pan.

‘Dat kan morgen wel,’ zegt gravin Elizabeth vriendelijk. Ze geeft de meid een zacht duwtje in de richting van het deel van de gewelven waar de andere meiden zitten. De kelder strekt zich uit onder de hele zaal en is dus enorm groot.

Elizabeth pakt een kandelaar en loopt naar een kastje dat op een onopvallende plaats in een hoek staat. Uit een buidel die aan haar gordel bungelt, haalt ze een sleutel.

Ze opent het kastje en tuurt een tijdje bij het licht van de kandelaar naar de inhoud. Ze haalt er verschillende potten uit, schudt haar hoofd en zet ze dan weer terug.

'Wortelen van alruin, en vooral van de wilde hebben de kracht liefde te maken,' mompelt ze zacht voor zich uit. 'Dat stond er geschreven. Nu weet ik het weer. Op alle manieren ingenomen, dat stond er ook. Ik zal sap van alruinwortel koken.' Ze loopt naar de voorraadkamer.

Walburga geeft Berend een por en daardoor schiet hij uit de schemer in het licht.

'Berend, wat kom je doen?' Gravin Elizabeth kijkt verstoord.

'Het spijt me, edele vrouwe, dat ik u stoor. Ik kom de kan wijn bijvullen.' Berend voelt zijn wangen gloeien. Niet één keer kijkt hij naar Walburga. Hij mag haar aanwezigheid nu niet verraden!

'Dan ben je in de verkeerde hoek van de keuken.' Ze wijst hem de richting. 'Daar staan de vaten met wijn.'

Berend loopt erheen en achter zich hoort hij zacht geritsel. Vast Walburga die naar de zaal terugkeert, denkt hij en hij trekt de stop uit het vat. Ze had gelijk, haar moeder gaat een kruidendrank maken.

De graaf van Meurs Saarwerden blijft logeren en hij doet enorm zijn best om indruk te maken op Anna. Berend is benieuwd of het sap van de alruinwortel zal werken. Walburga heeft hem verteld dat Anna dit nu twee keer per dag te drinken krijgt van haar moeder.

'Heeft ze niets in de gaten?' Berend kan zich niet voorstellen dat ze zo dom is.

'Mijn moeder zegt dat het goed is voor haar huid. Anna gelooft dat graag. Een mooi vel is belangrijk als je op zoek bent naar een man om mee te trouwen.'

Ze staan onder in de toren. Berend is op weg naar de wapenkamer, Gijsbert heeft hem daar nodig.

'Berend, wat doen jullie mannen eigenlijk aan zo'n probleem?'

'Jij ging toch bewijzen dat vróúwen nuttig waren?'

'Nuttiger dan mannen in dit geval. Dat huwelijk is belangrijk voor mijn vader. Wat doen jullie eraan om te zorgen dat het goed komt?'

Berend krabt eens op zijn hoofd. Hun wedstrijd gaat de verkeerde kant op, vindt hij.

'Berend, waar blijf je?' Gijsberts stem klinkt ongeduldig.

'Ik kom eraan!' Opgelucht neemt Berend de trap met twee treden tegelijk. Hij hoeft even geen antwoord te geven op Walburga's vraag.

In de wapenkamer worden Oswald, Willem en graaf Johan in een harnas gehesen door hun schildknapen.

'Berend, dat duurde veel te lang,' zegt Oswald boos. 'Jij moet naar de stal om te zeggen dat onze hengsten klaar gemaakt moeten worden voor de strijd.'

'Gaat u uit vechten, heer?'

'We rijden uit tegen dat Onkruyt van Wisch. Wij hebben een gemeenschappelijke vijand, Berend, jij en ik. De roofridders van Wisch.'

Graaf Oswald staat op en loopt met driftige stappen heen en weer. Gijsbert loopt met hem mee, hij is immers bezig zijn heer te helpen met het harnas.

'Op de Wildenborch woont Johan van Wisch, die bij jullie de buurt onveilig maakt. Zijn halfbroer Bernt doet dat hier. Wij noemen hem het Onkruyt, omdat hij geen zoon is van heer Hendrik van Wisch en zijn vrouwe, maar van Hendrik en een dienstmeisje. Hij is dus niet van echte adel maar een bastaard, onkruid. En het woekert overal.'

Graaf Oswald wordt steeds kwader, hoe meer hij erover praat. Hij zwaait met zijn armen en nu stampt hij zelfs met zijn voet!

'Het erge is, dat Johan en zijn andere halfbroers hem steunen alsof hij geen onkruid is maar een schone bloem.'

Gijsbert kan de armbewegingen van de ridder niet meer bijhouden. Geërgerd kijkt hij naar Berend, die hun heer zo boos laat worden. Die trekt zich daar maar even niets van aan. Nu heeft hij eindelijk de kans te vragen wat hij wil weten.

'Is er iets gebeurd, heer? Ik bedoel, dat u nu uitrijdt?'

'Berend, doe wat je gezegd wordt!' Gijsbert wordt nu echt kwaad. Met Berend in de buurt kan hij niet opschieten.

'Nee, nee Gijsbert. Berend is een dappere jongen en hij wil veel leren. Daarvoor is hij hier tenslotte ook.' Oswald staat weer stil en kijkt naar Berend.

'Nu is de graaf van Meurs Saarwerden hier. Hij heeft een eigen garde bij zich, dus we zijn met meer en de kans is nu groter dat het ons lukt om het Onkruyt een lesje te leren.'

'En misschien kan de graaf dan indruk maken op mijn zuster,' voegt Willem er lachend aan toe. Hij knipoogt naar Berend, terwijl hij zijn handschoenen aantrekt.

'Dat hoeft de jongen nou weer niet te weten,' briest Oswald.

'Naar de stal, Berend!'

Berend buigt om te laten zien dat hij zijn opdracht begrepen heeft. Net zo snel als hij de trap opging, rent hij hem weer af. Onderweg botst hij bijna tegen Walburga aan. Met één sprong passeert hij haar, op weg naar buiten.

'En, vertel je me nog eens wat de mannen doen aan het probleem?' roept ze hem na.

'Ja, ik weet het precies!' roept Berend over zijn schouder en hij probeert een trotse blik te onderdrukken.
Straks ziet Anna hoe knap de graaf eruitziet in harnas, en hoe dapper hij tegen het Onkruyt vecht. Dan moet ze wel verliefd op hem worden. Daar kan dat suffe wortelsap niet tegenop.

Met een blaffende Bruin op zijn hielen rent Berend naar de stal. Het is nog vroeg, maar je kunt al merken dat het een mooie dag zal worden. Wat zullen de ridders het vandaag warm krijgen met hun harnas aan! Het liefst zou Berend met hen meegaan om alles van dichtbij te kunnen zien. Maar hij weet dat hij dat niet hoeft te vragen. De regels voor een page zijn duidelijk. En graaf Oswald zal niet willen dat Berend gevaar loopt.

Het gedeelte waar de hengsten zijn, is goed bewaakt. Het zijn kostbare dieren en ze reageren fel. Bruin mag dus niet mee naar binnen. Stel je voor dat de hengst van de graaf zich verstapt omdat hij schrikt van een hond!

Berend kijkt voorzichtig om de hoek. De hengsten zijn glanzend geborsteld. Een stalknecht vult het water bij. Berend schiet hem aan.

'Ik heb een boodschap van graaf Oswald. Hij rijdt uit tegen het Onkruyt met zijn zoon Willem en de graaf van Meurs Saarwerden. Hun paarden moeten gezadeld worden.

'Ik dacht al zoiets,' bromt de stalknecht. 'Hun mannen lopen hier als opgewonden baasjes rond.' Hij zet zijn emmer neer en kijkt naar Berend. 'Ik ga aan het werk. Help me maar even. De heren zullen wel haast hebben.'

Niet veel later staat Berend naast de vrouwen op het voorplein. De ridders rijden trots een rondje op hun hengsten. De zon weerkaatst in de glanzende harnassen. Hun mannen staan klaar in het gelid. Twee dragen de banieren van Bergh en van Meurs. Prachtig ziet dat eruit, die wapperende vlaggen. De paarden zijn met zorg opgetuigd. Hun hoeven klinken luid op de keien. Het is dat Berend beter weet, maar het lijkt wel feest op het plein.

Hij werpt een blik op Anna en ziet dat Walburga hetzelfde doet.

Anna staat naast haar moeder. Haar haar is opgestoken, zodat je goed kunt zien hoe rank haar hals is. Berend weet niet veel van liefde, maar hij snapt dat Johan Anna mooi vindt. Vooral als ze aardig kijkt, zoals nu. Ze wuift vriendelijk als de ridders nog een laatste keer langs de dames rijden. Zou ze onder de indruk zijn van het harnas van de graaf?

Walburga komt naast Berend staan.

'Zie je, sap van de alruinwortel!' fluistert ze.

Nog een keer het Onkruyt

Er zijn een paar maanden verstreken. Berend heeft het gevoel alsof hij nooit ergens anders gewoond heeft, zo goed kent hij intussen het huis en de bijgebouwen, het stadje 's-Heerenberg, en de mensen die rond het kasteel wonen en werken. Hij is een deel van de familie geworden. Voor Bruin en Sterre geldt hetzelfde. Bruin is goede maatjes met de andere honden en Sterre staat op stal bij de merries of ze er geboren is.

De laatste tijd is het stil rond het Onkruyt. Volgens Oswald is dat te danken aan het laatste gevecht. Berend weet nog goed hoe zijn heer en de andere ridders terugkwamen van de strijd. Met rode wangen en glanzende ogen vertelde de jonge graaf aan Anna hoe ze het Onkruyt een lesje hadden geleerd. 'Daar hebben we geen last meer van,' zei hij trots tegen haar.

Hij is allang weer vertrokken, maar Anna drinkt nog elke dag sap van de alruinwortel. 'Voor haar huid,' zegt Walburga giechelend.

Berend is bijna vergeten dat hij in het begin niet met Walburga wilde omgaan omdat ze een meisje is. Ze is de enige van zijn leeftijd en hij kan tien keer beter met haar opschieten dan met Gijsbert. Die voelt zich veel te groot voor Berend. Hij is al schildknaap en Berend is in zijn ogen maar een onbelangrijke page.

Berend loopt al vroeg over het plein van de voorburcht. In de stallen zijn de knechten aan het werk, maar verder is het nog rustig. Hij snuift eens diep. Heerlijk, die geur van vers gebakken brood. Zal hij naar de bakker gaan en…

Door de ochtendstilte klinken hoeven op de ophaalbrug. Een mannenstem schreeuwt. De poort gaat open, en een jonge boer stuift naar binnen.

'Waar is graaf Oswald van den Bergh?!' Zijn stem klinkt alsof hij bijna huilt.

Berend kijkt om zich heen. In de staldeur verschijnt een van de knechten, maar verder is er niemand te zien.

Hij stapt naar voren.

'Ik zal u naar graaf Oswald brengen.' Hij wenkt de knecht bij de deur. 'Neem jij het paard over van deze man.'

Er is iets ergs gebeurd, dat is duidelijk. Hij leidt de man over de valbrug naar de hoofdburcht.

In de grote zaal is iedereen inmiddels op. De bedden zijn opgeruimd en het stro wordt opgeveegd. Graaf Oswald zit aan tafel. Voor hem staat een schaal kersen. Hij is in overleg met zijn rentmeester en kijkt op als Berend binnenkomt. Zijn blik blijft rusten op de boer achter hem.

'Gerrit, wat is er aan de hand? Jij moet vroeg vertrokken zijn.' Zijn stem klinkt bezorgd.

De boer neemt zijn pet af en valt op zijn knieën.

Hij knijpt de pet zenuwachtig in zijn hand.

‘Heer, vannacht zijn mijn varkens gestolen. Allebei... Door het Onkruyt, heer. En hij is dwars over mijn akkers gereden met zijn mannen. Er zal straks niet veel meer over zijn om te oogsten.’

Graaf Oswald springt op. Hij slaat zo hard met zijn vuist op tafel, dat de kersen in de schaal dansen.

‘Dat vervloekte Onkruyt,’ schreeuwt hij. ‘Ik dacht dat hij zijn lesje nu wel geleerd had.’

De aderen op zijn voorhoofd zwellen. Oswald is anders dan zijn vader, weet Berend. Hij heeft hem in de afgelopen paar maanden al veel vaker kwaad gezien, dan zijn vader in zijn hele leven. En als zijn vader boos is, wordt hij niet driftig zoals Oswald.

Die loopt nu woedend het vertrek op en neer.

‘Dat galgenaas, die adder, verrekte bastaard...’ Hij wordt kwader en kwader. De boer staat er handenwringend bij.

‘Het spijt me verschrikkelijk, graaf Oswald.’ Zijn stem slaat over van ellende.

‘Het moet jou niet spijten, het moet dat verschrikkelijke Onkruyt spijten!’ Oswald brult nu voluit. ‘En al die vreselijke broers van hem die hem beschermen. Hij vindt dat hij recht heeft op jouw boerderij en op nog een paar andere. Is hij van de ratten besnuffeld...’

Hij keert zich naar zijn rentmeester.

‘Ga met Gerrit naar de boerderij Besselink. Daar hebben ze nog een paar biggen lopen. Koop er twee voor Gerrit.’ Dan kijkt hij naar de boer. ‘Je hoeft je geen zorgen te maken over je wintervoorraad. Dat komt wel goed als de tijd daar is.’

Gerrit knikt en buigt en dankt zijn heer. Hij is duidelijk geschrokken van de heftige reactie van Oswald en weet niet hoe snel hij weg moet komen met de rentmeester.

'Berend, ga Willem zoeken. Ik wil onmiddellijk overleg. Het is nu afgelopen met dat Onkruyt. Ik sleep hem voor mijn eigen gerecht.'

Maar gravin Elizabeth gebaart naar Berend dat hij even moet wachten. Ze gaat naast haar man staan en legt haar hand op zijn arm.

'Oswald, ik begrijp dat je boos bent. Maar je moet niet vergeten dat je niet mag rechtspreken over zaken die je zelf aangaan.'

De graaf schudt haar arm af. Hij loopt zwijgend een rondje door de zaal.

'Goed, dan neem ik hem gevangen en breng hem voor de rechtbank van de Staten van Gelre.'

Elizabeth knikt. 'En je maakt niet alleen een plan met de ridders, schildknapen en pages, maar ook met Anna en mij. Hier, nu, met zijn allen aan tafel. Als jij je alleen door je drift laat leiden, gebeuren er ongelukken. En dat is niet nodig.'

Ze wendt zich naar Berend. 'Nu mag je Willem gaan halen voor het overleg.'

'Ja, vrouwe.' Berend buigt voor haar. Dan loopt hij de zaal uit met bibberende knieën. Die drift van Oswald... Hij weet dat de graaf het niet kwaad meent, maar hij schrikt er toch elke keer van. En deze keer was hij wel héél kwaad.

Voor Berend bij de trap naar de wapenkamer is, heeft Walburga hem al ingehaald.

'Zie je nu hoe moeder vader remt? Als het aan hem had gelegen, zat hij nu al op zijn paard. En dan had hij het Onkruyt straks in mootjes gehakt.'

Berend knikt ernstig.

'Daar heb je gelijk in. Maar ik snap nog niet, wat je moeder en Anna straks voor nuttigs kunnen zeggen bij dat overleg. Zeggen ze dan: "Sla niet te hard"?'

'Nee, sufferd.' Ze kijkt triomfantelijk. 'Kruiden natuurlijk.'

'Dat moeten dan wel toverkruiden zijn,' zegt Berend nu lachend. Hij gelooft er nog steeds niet veel van.

Het Onkruyt op kasteel Ulft

Berend staat met zijn rug tegen de muur in de grote zaal van kasteel Ulft. Hij is bang dat hij anders omvalt van de zenuwen. Aan tafel zitten graaf Oswald, gravin Elizabeth, Anna, Walburga en... Bernt, de bastaard van Wisch.

Het was het idee van gravin Elizabeth om het Onkruyt in Ulft uit te nodigen. Naar Bergh zou hij nooit gekomen zijn. Dat is voor hem immers het hol van de leeuw. Bovendien gaat de strijd tussen Oswald en het Onkruyt over de gebieden van Oswald rond kasteel Ulft. Daar plundert het Onkruyt het meest. Hij zegt dat hij daar rechten heeft: de boerderijen zouden bij zijn landgoed horen.

De bastaard van Wisch ziet er helemaal niet uit als een gevaarlijke boef. Hij heeft kort gesneden donkerblond haar en lichtblauwe ogen. Over zijn wang loopt een litteken, maar dat hebben zoveel ridders. Ook heeft hij lang geen volledig gebit meer, maar op zijn leeftijd is dat normaal. Nee, Berend kan niets uitzonderlijks aan hem ontdekken.

Als je niet beter wist, zou je denken dat het een gezellige bijeenkomst is. Berend moet bijna lachen om het gezicht van Oswald, die geweldig zijn best doet om vriendelijk te kijken.

Hij staat naast een smalle tafel waarop wijn en brood klaarstaan. Aan de andere kant van de tafel staat de page van het Onkruyt. En daar wordt Berend zo zenuwachtig van. Als die jongen er niet was, zou het straks allemaal veel makkelijker verlopen. De page staat stram alsof hij een soldaat is, en hij let op alle bewegingen van Berend.

'Is het dan niet mogelijk om vrede te sluiten?' Elizabeths stem klinkt zo liefelijk als een zilveren klokje.

'Geef mij de boerderij van Gerrit, en de boerderij die daarnaast ligt. Die horen bij de Lichtenberg. Als ik die krijg, houd ik me voorlopig rustig.' Het Onkruyt grijnst vals.

Het is niet moeilijk om te begrijpen, dat graaf Oswald zich kwaad maakt om deze man. Zelfs Berend snapt dat het Onkruyt zich niet zal houden aan zijn belofte.

Gravin Elizabeth staat op van tafel. Ze loopt rakelings langs Berend en geeft hem een klein knikje. Bij de deur blijft ze staan.

'Walburga, kom jij even mee?'

Walburga staat op van tafel. Ze doet dat zo onhandig, dat ze een schaal van tafel stoot. De page van het Onkruyt schiet toe om haar te helpen.

Op dat moment haalt Berend een klein kruikje uit zijn hes. In één beweging giet hij het leeg in de kan wijn op het tafeltje. Met twee stappen staat Elizabeth naast hem en neemt het lege kruikje over. Het verdwijnt tussen haar rokken.

'Walburga, wat ben je een onhandige gans! Hoe jij ooit een dame moet worden...' Elizabeth zucht en steekt een hand uit naar haar dochter. Samen verlaten ze de zaal.

De page van het Onkruyt kijkt even naar Berend. Die staat nu weer met zijn rug tegen de muur.

'Zal ik de wijn bijschenken?' biedt de page aan. 'Mijn heer vertrouwt alleen mij.'

‘Dat begrijp ik,’ zegt Berend serieus.

De page loopt rond met de kan, Berend neemt de schaal met brood. Keurig biedt hij het Onkruyt een stuk aan. Die neemt net een flinke slok. De wijn loopt langs zijn mondhoeken naar beneden. Met zijn mouw veegt hij zijn kin af.

‘Wat een bloemige wijn!’ zegt hij tevreden. Graaf Oswald neemt het compliment vriendelijk knikkend in ontvangst.

Berend glimlacht. Bloemig is die wijn inderdaad. Gisteravond mochten Walburga en hij erbij blijven toen gravin Elizabeth de bolletjes van de wilde witte huel kookte.

‘Papaver heet die plant in het Latijn,’ had ze gezegd. Voor Walburga was het een les, en zij had haar moeder gevraagd of Berend het ook mocht zien. Ze had haar over hun wedstrijd verteld.

In de kookpot was een soort stroperig drankje verschenen.

‘Dat heet opion,’ had Elizabeth uitgelegd. ‘Het wekt slaap op en verdrijft ook pijnen. Het is belangrijk dat je er niet te veel van gebruikt. Anders breng je de patiënt in een eeuwige slaap. En we zijn tenslotte geen moordenaars.’

Het Onkruyt kiept de ene beker wijn na de andere achterover. Veel gepraat wordt er niet meer. Graaf Oswald kijkt zwijgend toe hoe de gast zijn wijnvoorraad soldaat probeert te maken.

Dan begint het Onkruyt te gapen. Hij wrijft in zijn ogen en schudt eens met zijn hoofd.

‘Misschien is wat frisse lucht verstandig,’ stelt Anna vriendelijk voor.

De schildknaap van het Onkruyt schiet toe.

‘Blijf maar zitten, ik begeleid je heer wel naar buiten.’ Anna lacht zo lief, dat hij met de beste wil van de wereld geen argwaan kan krijgen.

‘Berend, doe jij de deur even voor ons open?’ Ze steekt haar arm in die van het Onkruyt en samen lopen ze de zaal uit. Berend gaat met hen mee en sluit de deur achter zich.

Ze begeleiden de slaperige ridder naar de achterdeur.

Daar staat buiten in de schemering een boerenwagen klaar, gevuld met een enorme berg hooi. Zodra het Onkruyt zijn eerste stap in de buitenlucht heeft gezet, zakt hij in elkaar. Volledig door slaap overmand.

Twee knechten van Oswald schieten toe. Ze tillen het Onkruyt op de wagen. Berend klimt op de zittekist, waar anders de wagenmenner zit. Die is er nu niet. Hij ziet hoe de knechten het Onkruyt met zorg toedekken. De roofridder nestelt zich heerlijk in het hooi. Hij snurkt eens en draait zich om.

De ene knecht klimt op het linkerpaard, de andere gaat naast het rechterpaard staan. Hij klikt met zijn tong en trekt aan het tuig van zijn paard.

‘Toe maar, Bes, we gaan.’

De grote boerenknollen voor de wagen zetten zich in beweging. Berend draait zich om en zwaait naar Anna.

‘Tot in Bergh,’ zegt ze en haar ogen fonkelen van pret.

Een ridder in het gevang

Berend loopt met een schaal met heerlijke gebraden kippenpootjes naar de gevangenis. Anders dan andere kastelen heeft huis Bergh er zelf een, in een torentje aan het plein van de voorburcht. Oswald mag immers rechtspreken. Alleen niet over het Onkruyt, omdat dat een zaak is waarbij hijzelf betrokken is.

De wachters doen de deur voor hem open. Berend zoekt voorzichtig de treden van de trap naar beneden. Er brandt een fakkel aan de muur, maar het is toch erg donker als je van buiten komt.

Er zijn twee cellen. De roofridder zit in de rechter. Hij kijkt chagrijnig en dat verandert niet als Berend binnenkomt. Ook aan zijn wand hangt een brandende fakkel. Dat is het enige voorrecht dat hij van graaf Oswald gekregen heeft.

'Goedemorgen, heer van de Lichtenberg,' zegt Berend vriendelijk.

Het Onkruyt gromt iets tussen zijn tanden.

'Hier is uw maaltijd.' Berend zet de schaal op tafel. 'Straks breng ik u bier, wenst u verder nog iets?'

'Ik wil weten wanneer ik hieruit kom. Ik zit hier nu al weken, zonder dat er iets gebeurt. Ik eis een rechtszaak.' Het Onkruyt staat op en ijsbeert heen en weer.

'Straks wordt het winter en dan zit ik nog in deze toren. Het is onrechtmatig wat de graaf van Bergh en heer van Ulft heeft gedaan, en dat weet hij zelf ook. Een ridder neemt geen andere Gelderse ridder gevangen. En dan zet hij hem zeker niet in een cel.'

Ineens blijft hij staan en kijkt Berend indringend aan. 'Gisteren is er een ridder aangekomen met groot gevolg. Wie was dat en heeft dat iets met mij te maken?'

Berend aarzelt even. Mag hij dat aan het Onkruyt vertellen? Hij besluit van wel.

'Het is de jonge graaf van Meurs Saarwerden, heer. Ik denk niet dat het iets met u te maken heeft. Hij maakt Anna het hof.'

‘Daar heb ik inderdaad niets aan. Hoewel... Zeg tegen hem, dat ik Oswald voor het gerecht sleep, als ik hier ooit nog uitkom. Misschien dat hij Oswald tot rede kan brengen.’

De roofridder wijst met een dramatisch gebaar om zich heen.

‘En vraag in ieder geval, wanneer ik vrij in de burcht mag rondlopen. Zelfs een vijandige ridder uit een ander land krijgt dat recht. Ik zal zweren dat ik niet wegloop.’

Berend knikt, al weet hij niet zeker of hij deze boodschap durft over te brengen. Snel gaat hij de trap weer op en de wachters laten hem naar buiten. De zon schijnt, maar de lucht is vochtig. Berend ruikt dat de herfst in de lucht zit. Het Onkruyt heeft gelijk: nog even en het is winter. Moet de roofridder die in het gevang doorbrengen?

Berend heeft de afgelopen weken begrepen dat Oswald iets heeft gedaan wat niet mag. De hele Gelderse adel is woedend. De ene koerier na de andere is de binnenplaats opgereden. Een gewone man die een misdaad heeft begaan, mag je gevangen nemen. Maar een ridder die een buurman gijzelt, dat is ongehoord. En hem dan ook nog in de cel zetten als een gewone man... Het is maar goed dat de meesten dat niet weten.

Hij loopt de grote zaal binnen. In een vensterbank zitten Johan, de graaf van Meurs Saarwerden, en Anna dicht bij elkaar. Johan fluistert haar iets in het oor en Anna giechelt.

Sap van de alruinwortel, denkt Berend onwillekeurig. En dan schudt hij zijn hoofd. Nee, natuurlijk niet. Johan is dapper uitgereden tegen het Onkruyt en hij zag er schitterend uit in zijn harnas. Nu is hij de enige edelman uit de verre omtrek die Oswald steunt. Logisch dat Anna op hem valt.

Graaf Oswald staat bij het vuur en tuurt in de vlammen.

'Berend, hoe gaat het met het Onkruyt? Had hij nog iets te zeggen?'

Berend komt tegenover zijn heer staan. Hij slikt even en vertelt dan, wat het Onkruyt gezegd heeft.

'Hij zegt, dat hij u voor het gerecht sleept. U had hem nooit gevangen mogen nemen. Hij vraagt of u hem in ieder geval vrij wilt laten rondlopen. Een ridder hoort niet in een cel, zegt hij.'

Zijn heer zucht en haalt een hand door zijn donkere haar. Voor het eerst ziet Berend zilver glinsteren. Zou dat door de zorgen komen?

'Johan, kom hier en geef me raad.'

Berend ziet dat Anna de jonge graaf vol liefde nakijkt. Walburga zit een eindje verder met haar moeder te borduren. De verandering in Anna is al zo gewoon, dat Walburga is opgehouden veelbetekenend naar Berend te knipogen.

'Niemand steunt mij in de zaak tegen Bernt van Wisch,' zegt graaf Oswald. 'Zelfs de stad Zutphen heeft me een brief geschreven dat ik hem moet laten gaan. Het is te merken dat zijn broers zich met de zaak bemoeien. Toch wil ik niet opgeven, nu ik hem gevangen heb.'

Johan knikt. 'De edelen hier uit de buurt zijn bang voor de ridders van Wisch. Dus je moet een sterke medestander vinden. Jij bent een van de vier bannerheren van Gelre. Dat betekent dat je hoger bent dan de andere adel. Zorg dat je de andere bannerheren op je hand krijgt, of in ieder geval een van hen met zijn familie.'

Nu komt gravin Elizabeth bij hen staan.

'Dat is een goed idee, Oswald,' zegt ze. 'Waarom gaan we niet logeren bij de heer van Bronkhorst-Batenburg op Anholt? Hij is familie van de bannerheer van Bronkhorst. Misschien wil hij een goed woordje voor je doen. We kunnen zijn jonge vrouw vragen, of zij onze Walburga wil opleiden. Dat waren we immers toch al van plan?'

Graaf Oswald slaat Johan op zijn schouder.

'Geweldig plan!' De opluchting straalt van zijn gezicht.

Gek, denkt Berend, dat zo'n hoge heer soms zelf ook niet weet hoe het moet.

Walburga heeft natuurlijk niets van het hele gesprek gemist. Ze vliegt op haar vader en drukt zich tegen hem aan.

'O ja, vader! En Anholt is gelukkig niet zover hiervandaan! Dan kunnen we elkaar nog eens bezoeken.'

Hij streelt zijn dochters hoofd. 'Dat is waar. Dat is inderdaad een groot voordeel.' Dan zegt hij: 'Laten we maar meteen spijkers met koppen slaan.' Zijn ogen zoeken zijn page.

'Berend, ga naar de stallen en zeg dat we morgen op reis gaan met een groot gezelschap. En vraag de zoon van de stalmeester hier te komen. Hij kan nu vast uitrijden naar Anholt om aan te kondigen dat we op bezoek komen.'

Kasteel Anholt

Berend rijdt naast Walburga. Haar pony is net zo hoog als Sterre, maar hij is veel donkerder. Bruin rent met Walburga's hond voor hen uit.

Het is niet ver naar Anholt, een uur of drie rijden. Dat is maar goed ook, vindt Berend. Het is echt herfstachtig weer. Grote donkere wolken nemen het zonlicht weg en een stevige wind blaast de eerste bruine blaadjes over de weg.

'Gaan we nog naar de Swanenburg, denk je?' Walburga wipt opgewonden in haar zadel. Zo vaak gaat ze niet op reis.

'Ik hoorde graaf Oswald zeggen dat we de reis rechtstreeks maken. De paarden kunnen drie uur wel aan. De Swanenburg ligt zo dicht bij Anholt dat we net zo goed door kunnen rijden.'

'Jammer, ik ben nog nooit op dat kasteel geweest. Ik wil de heer van Raesfelt en zijn vrouwe wel eens zien.'

Berend zwijgt. Walburga maakt zich geen zorgen over een aanval onderweg, maar hij wel. Steeds heeft hij de koeriers horen zeggen hoe boos hun heren op Oswald zijn. En dat geldt natuurlijk helemaal voor de halfbroers van het Onkruyt, en voor zijn zonen.

Berend weet inmiddels heel goed hoe opvliegend zijn heer is. Het zal niet zo snel vrede worden tussen graaf Oswald en de rest van de adel als zijn humeur niet verandert. En dat van het Onkruyt is minstens zo erg!

De eerste druppels vallen op Berends baret. Hij huivert.

'Berend, ik heb een plan. Als we in Anholt zijn, kunnen we misschien gebruik maken van de situatie,' zegt Walburga opeens. 'Op dat kasteel is een bijzonder kruidenboek. Misschien is daarin iets te vinden dat de vrede dichterbij kan brengen.'

Berend haalt zijn schouders op.

'Ik weet al wat je wil zeggen.' Walburga wordt meteen snibbig. 'Dat moeten wel toverkruiden zijn.'

'Nee,' zegt Berend. 'Ik denk alleen, dat je moeder daar vast al aan gedacht heeft.'

'Ik weet het niet. Mijn vader is een driftkop, maar mijn moeder zal hem nooit ongevraagd kruiden geven. Zo'n drankje in de wijn van het Onkruyt is iets anders. Het Onkruyt is de vijand.'

Aan het eind van de middag zien ze kasteel Anholt liggen. Het is een stevige burcht, die midden in het water ligt. Net als huis Bergh heeft het een aparte voorburcht, die als een eilandje naast de hoofdburcht ligt.

Het slot is moeilijk aan te vallen, ziet Berend tot zijn opluchting. De grote ronde toren lijkt net zo stevig als de vierkante van Bergh.

Jacob van Bronkhorst-Batenburg komt hun op de brug al met open armen tegemoet.

'Oswald, wat een verrassing! En wat fijn dat er zich ook dames in je gezelschap bevinden. Dat zal Agnes heerlijk vinden.' Snel geeft hij hier en daar bevelen.

Van alle kanten schieten knechten toe, om de paarden van de gasten over te nemen.

‘Wat een weer om te reizen! Kom naar de grote zaal, daar is het vuur aan.’

Jacob gaat zijn gasten voor. Hij begint al behoorlijk grijs te worden, ziet Berend. Toch zal de heer van Anholt niet veel ouder zijn dan zijn vader.

Op een houten bank bij het vuur zit een vrouw. Berend kan haar gezicht niet zien, ze zit met haar rug naar de deur. Zodra het gezelschap van Oswald binnenkomt, staat ze op. Dat gaat niet makkelijk. Als ze zich omdraait, begrijpt Berend waarom. Ze heeft een hele dikke buik.

‘Ze krijgt een baby!’ fluistert Walburga opgewonden in zijn oor. ‘Stel je voor dat ze me op wil leiden... Dan mag ik misschien ook wel met de baby helpen!’

‘Wie weet,’ zegt Berend. Hem lijkt daar niet veel aan, maar meisjes zijn anders. Dat weet hij zeker. Maar of ze minder leren... dat weet hij niet meer zo zeker. En al helemaal niet of dat minder belangrijk is.

De vrouwe van Bronkhorst-Batenburg legt haar hand in haar rug als ze naar hen toeloopt.

‘Welkom in huis Anholt.’ Ondanks haar dikke buik lijkt ze oprecht blij te zijn met het bezoek. ‘Jacob, stel me eens voor aan onze gasten.’ Vragend kijkt ze naar haar man. Haar donkerblonde haar is zorgvuldig opgestoken onder een fluwelen hoofddeksel, dat is afgezet met een smal randje bont.

Gravin Elizabeth stapt naar voren en pakt de hand van de jonge kasteelvrouwe.

‘Gaat u toch snel weer zitten! In uw toestand is het niet prettig lang te staan. Wij zijn bijna buren: wij wonen op huis Bergh. Mijn man Oswald heeft u vast al vaker ont-

moet, maar wij vrouwen reizen minder vaak.'

Ze begeleidt vrouwe Agnes terug naar de bank waar ze op zat. Dan wenkt ze haar dochters. Een voor een stelt ze hen voor.

Berend heeft niet veel tijd om te kijken of Walburga in de smaak valt bij de kasteelvrouwe. Samen met de page van de heer van Anholt wordt hij aan het werk gezet. De gasten moeten kunnen zitten en er moet eten en drinken gehaald worden uit de keukens.

De page is verre familie van heer Jacob en hij kent Hendrik, de grote broer van Berend. Die is schildknaap bij heer Gijsbrecht van Bronkhorst en Ruurlo.

'Voordat ik hierheen kwam, heb ik je broer gezien bij oom Gijsbrecht,' vertelt de jongen terwijl ze naar de keuken lopen.

'Het duurt zeker niet lang meer voor hij tot ridder wordt geslagen?'

'Nee, we schelen acht jaar. Over ruim een jaar is het zover.'

In de keuken krijgen ze kannen wijn in hun handen geduwd en twee appeltaarten. Het water loopt Berend in de mond als hij terugloopt. Door de heerlijke geur van de taart merkt hij dat hij flink honger heeft.

In de grote zaal wordt bij het vuur gezellig gepraat en gelachen. De pages bedienen keurig hun heren.

'Zeg Oswald, vertel me eens. Er gaan wilde verhalen rond in Gelre. Ze zeggen dat je je eigen buurman gegijzeld houdt. Ik neem aan dat dat onzin is?' Heer Jacob kijkt zijn gast geïnteresseerd aan.

'Nou, onzin...' antwoordt graaf Oswald aarzelend en hij krijgt een rood hoofd.

Berend is enorm nieuwsgierig naar het kruidenboek waar Walburga het over had. Hij weet inmiddels dat hij haar niet moet onderschatten. Als die wat in haar hoofd heeft...

De hele ochtend probeert hij haar alleen te spreken te krijgen, maar dat lukt niet. Walburga is steeds in de buurt van vrouwe Agnes. Ze kunnen het zo te zien prima samen vinden.

Nu wandelen ze over het plein van de voorburcht. Met iedereen maken ze een praatje. Berend hangt hoopvol in hun nabijheid rond.

Agnes staat stil. Ze legt haar hand in haar rug. Haar andere haalt ze vermoeid over haar voorhoofd. Walburga gaat op haar tenen staan en fluistert de vrouwe iets toe. Die knikt en samen lopen ze terug naar de hoofdburcht. Walburga kijkt even om en knipoogt naar Berend.

Gelukkig, ze is hem niet vergeten! Hij besluit op de valbrug op haar te wachten. Niet veel later staat Walburga naast hem.

'Wat duurde dat lang! Hoe zit het met dat kruidenboek?' Berend doet zijn best om niet geërgerd te klinken.

'Ik moest toch eerst te weten komen, waar dat boek zich bevindt!' Walburga steekt haar kin hooghartig in de lucht. 'Kom maar met me mee.'

Zonder omkijken loopt ze het plein van de voorburcht

weer op. Berend stapt haastig achter haar aan. Bruin is sneller dan hij en springt vrolijk blaffend tegen Walburga's rokken op. Gelukkig, ze lacht weer. Ze moeten geen ruzie krijgen, zeker niet als ze willen dat anderen juist ophouden met ruziemaken. Ze aait Bruin over zijn kopje en zegt: 'Je baasje moet niet zo ongeduldig zijn.'

Dan wijst ze naar de poort van de voorburcht.

'Daar moeten we zijn.'

Ze knikt vriendelijk naar de wachters en doet een kleine deur open. Een smal, donker trappetje brengt hen omhoog naar een kamer boven de opening van poort. Een klein raampje laat wat licht binnen.

Berend kijkt de kamer rond. Rechts is een soort open oven, met daarin een vreemd uitziend buizenstelsel. Het pruttelt zacht. Langs één wand zijn planken aangebracht. Die staan vol met potten en kruikjes in allerlei vormen en maten. Hij ziet bollen van geblazen glas, die uitlopen in een punt. Aan het plafond hangen takken te drogen en... zijn dat vleermuizen? De muur naast de deur is behangen met bosjes gedroogde bloemen en kruiden, en op de grond staan kleine kistjes met allerlei soorten wortelen en gedroogde vruchten.

In het midden van de kamer staat een schrijftafel, met een paar kaarsen erop. Daarachter staat een kleine magere man in een wijde mantel. Hij heeft een dunne grijze vlasbaard. Met een scherpe blik neemt hij Walburga en Berend van top tot teen op.

'Zo, jongeheer en jongedame, waarmee kan ik u helpen?'

De stem van de kleine man klinkt onverwacht helder.

'Ik hoorde dat u een wijs man bent,' zegt Walburga en ze kijkt de apotheker lief aan. 'De vrouwe vertelde me dat u al ver bent in uw zoektocht naar de steen der wijzen. U heeft de zeven kunsten gestudeerd, u bent volleerd in de kennis der kruiden en een beoefenaar van alchemie.'

De kleine man lacht gevleid.

'Misschien heeft u gehoord dat mijn vader, Oswald van den Bergh, in strijd is met een van zijn buren, het Onkruyt van Wisch.'

'Ja,' zegt de man, 'de bastaardzoon van de heer van Wisch. Ik heb gehoord dat uw vader de roofridder op huis Bergh gevangen houdt.' De apotheker wrijft in zijn handen. Zo te zien houdt hij van een goede roddel.

Walburga knikt. 'Mijn vader wil dat Gelre weer veilig wordt, maar ik weet niet of dat op deze manier lukt. Het lijkt alleen maar erger te worden. De hele Gelderse adel keert zich tegen hem omdat hij een edelman gevangen houdt, ook al is het een bastaard.'

'Waar twee vechten, hebben twee schuld,' vindt de apotheker.

'Mijn graaf Oswald treft geen schuld,' vindt Berend verontwaardigd. Hij vergeet de verlegenheid die hij voelde toen hij hier binnenkwam. 'Het Onkruyt rooft steeds op zijn gebied.'

'O jawel,' grijnst de apotheker. 'Jouw heer trekt al te

snel zijn zwaard. Er zijn andere manieren om geschillen op te lossen. Als hij na de eerste rooftocht de ridder van Wisch voor het gerecht gedaagd had, was het anders afgelopen. Maar jouw heer richt op het goed De Lichtenberg van het Onkruyt inmiddels net zoveel schade aan. Kwaad moet je niet met kwaad vergelden. Die strafexpedities van jouw heer zijn niet rechtsgeldig.'

'Maar mijn vader kan er niets aan doen!' sputtert Walburga. 'Hij is nou eenmaal een driftkop. Humeuren kun je niet veranderen.'

'Daar denk ik anders over,' zegt de apotheker. Hij draait zich om en pakt een dik boek van een plank achter zich. Walburga knijpt Berend stiekem in zijn arm.

De magere man legt het grote boek voorzichtig op de schrijftafel. Hij doet het open en haalt er een los vel perkament uit. Daarop is een tekening gemaakt van een man. Over zijn lichaam zijn kanalen getekend, net als op een landkaart. Sommige zijn groen, andere zwart, weer andere grijs of rood.

'Zo zien wij er van binnen uit,' zegt de apotheker. 'Door ons lichaam stromen vier sappen. Die noemen wij de vier humeuren. Bij ieder mens is de samenstelling een beetje anders. En die bepaalt je humeur, dus hoe je bent. Dat rode sap is bloed. Als je daar veel van hebt, is je karakter vurig. Dat grijze is slijm. Als je daar te veel van hebt, ben je slijmerig of flegmatisch; dat betekent dat je sloom en traag bent. Het zwarte is de zwarte gal. Iemand die daar te veel van heeft is eenzelvig en somber. En dat groene is de groene gal. Wie daar te veel van heeft, wordt nors en opvliegend.'

De apotheker klapt het boek weer dicht.

'In dit boek staat hoe je humeuren kunt veranderen door de samenstelling van de sappen in je lichaam te veranderen. Dat is moeilijk en ingewikkeld. Er zijn er maar weinig die dat kunnen. Maar het kán wel. Als je zegt dat je vader er niets aan kan doen, ben ik het dus niet met je eens.'

Hij pakt het boek op en zet het weer terug op de plank.

'Dank u wel voor deze wijze les,' zegt Walburga plechtig. Ze maakt een kleine buiging, draait zich om en trekt Berend mee naar buiten.

'Dat moeten we dus doen. De humeuren veranderen van mijn vader én van de roofridder,' zegt ze beslist.

'Iedereen slaapt,' fluistert Walburga.

Berend gaat rechtop zitten. Zijn ogen moeten eerst aan het donker wennen. Het gesnurk van Oswald vult de zaal, maar verder is er niets te horen.

Naast hem ligt Gijsbert, die in zijn slaap ligt te mompelen. Hij zwaait even met een arm, maar dat lijkt bij zijn droom te horen. Voorzichtig gaat Berend staan. Hij moet niemand wakker maken.

Walburga sluipt op haar tenen naar de andere kant van de grote zaal. Berend volgt haar voorbeeld.

Heel voorzichtig trekken ze samen de grote deur open, die hen direct naar buiten leidt.

Een scharnier piept luidruchtig. Berend en Walburga staan stokstijf stil. Maar niemand in de zaal reageert op het geluid. Berend haalt opgelucht adem. Hij sluipt achter Walburga aan naar buiten.

Gelukkig is de valbrug naar beneden. De heer van Anholt hoeft niet bang te zijn dat hij wordt aangevallen door het Onkruyt, denkt Berend. Die zit immers veilig opgesloten in Bergh.

De brug kraakt als Walburga haar voet erop zet. Met grote passen loopt ze over de brug. Berend wacht tot zij eroverheen is, dan volgt hij haar. Het is donker op het plein van de voorburcht. Er drijven grote wolken langs de hemel. Af en toe komt de maan tevoorschijn. Dan zien ze meteen veel beter.

Berend steekt de kaars aan die hij heeft meegebracht. Met zijn hand beschermt hij de vlam tegen de wind. Walburga doet de kleine deur in het poortgebouw open.

'Nu maar hopen dat de apotheker beneden bij de anderen slaapt,' fluistert ze. 'Ik heb hem horen zeggen dat de kruidendampen 's nachts slecht voor je zijn.'

Berend gaat voorop de trap op. Boven steekt hij voorzichtig zijn hoofd om de hoek en kijkt om zich heen. Mooi, de apotheker is inderdaad nergens te bekennen. Hij wenkt Walburga. Dan steekt hij met zijn kaarsvlam de kaarsen van de apotheker op de schrijftafel aan.

Er ritselt iets en even denkt Berend dat zijn hart stilstaat van schrik. Dan ziet hij een vleermuis door het raam vertrekken. Die vindt het hier blijkbaar te druk worden. Walburga heeft niets gemerkt. Ze gaat op haar tenen staan. Zo kan ze precies bij het kruidenboek. Voorzichtig tilt ze het van de plank en legt het op de tafel. Plechtig slaat ze het boek open.

'Waar zou ik moeten zoeken?' vraagt ze aan Berend.

'Dat weet ik niet. Jullie zijn van de kruiden,' zegt hij grijnzend. Dan buigt hij zich met haar over het boek.

Zorgvuldig lezen ze bladzijde na bladzijde. En dat valt niet mee. Het handschrift is hier en daar erg moeilijk te lezen en de namen van de kruiden zijn vaak lang en ingewikkeld. Hardop spellen ze samen elk woord dat er staat.

Gelukkig staan de kruiden ook bij de teksten getekend, want van veel planten heeft Berend nog nooit gehoord. Walburga kent er meer, maar het zal straks vast nog moeilijk zijn het goede kruid te vinden.

De tijd verstrijkt en nog steeds hebben ze niets gezien

dat met het veranderen van humeuren te maken heeft.

In de verte krast een uil. Berend gaapt. Hij krijgt slaap. Zouden ze ooit het juiste kruid vinden? Samen beginnen ze aan een volgende bladzij.

'Grysekom, Aardrook of Duivekervel,' leest Walburga

hardop. 'De plant heeft kleine vierkante steeltjes en het blad lijkt op dat van de koriander...'

Daarna komt een stuk over de kracht en de werking van de plant.

'Het sap van de duivekervel in de ogen gedaan, scherpt het gezicht,' leest Berend.

'Daar hebben we dus niets aan,' zegt Walburga. 'Laten maar aan de volgende bladzij beginnen, want zo komen we er nooit uit vannacht.'

'Wacht even,' zegt Berend. 'Er staat nog meer. Duivekervel in water gekookt en dat gedronken samen met wijn verjaagt met de camerganck te boze en vurige humeuren.'

'Dat is het!' roept Walburga opgewonden. Even vergeet ze dat ze stil moeten zijn.

'Wat is camerganck?' vraagt Berend. Hij snapt het nog niet helemaal.

'Dat je moet poepen,' legt Walburga uit. 'Dus als je dit kruid gekookt drinkt met wijn, verdwijnt je slechte humeur in de plee. Letterlijk.'

Berend grinnikt. 'Wat zal het straks stinken op de plee van huis Bergh, met al die boze humeuren erin.'

Walburga is meteen praktisch.

'Het klinkt niet moeilijk. Die apotheker wilde natuurlijk dat wij onder de indruk van hem waren. We moeten kijken of hij hier ergens gedroogde duivekervel heeft hangen. Laten we die tekening in het boek nog eens goed bekijken, dan weten we hoe het eruitziet.'

Berend pakt een kaars en loopt naar de muur waar de gedroogde bloemen hangen. Samen bekijken ze stuk voor stuk alle bosjes die aan de muur hangen.

Duivekervel in de wijn

Na een paar dagen keert het gezelschap van Oswald van den Bergh weer terug naar huis Bergh. De herfstregens jagen over het land en de ruiters zijn diep in hun mantels gedoken. Berend heeft zijn muts zover mogelijk naar voren getrokken, om minder last van de regen te hebben. Hij rilt. Toch stoort het natte weer hem niet erg. Hij denkt aan andere dingen. Straks in de kelder van huis Bergh gaan Walburga en hij het drankje brouwen dat het humeur van Oswald en van het Onkruyt verandert! Hij kan niet wachten. Zou het werken?

Graaf Oswald vraagt aan Walburga of ze even wil schuilen op de Swanenburg, maar ze zegt: 'Nee, vader. Ik wil graag doorrijden naar huis. Dan kunnen we ons daar drogen bij het vuur. Ik moet er niet aan denken, dat we na een heerlijk moment bij het vuur in de Swanenburg weer de regen in moeten. Dan kunnen we de tocht maar beter in één keer maken.' Haar vader ziet niet hoe ze even naar Berend lacht. Gelukkig, Walburga vindt hun plan net zo belangrijk als hij, denkt Berend.

Die avond al lukt het hun samen een rustig moment in de keuken te vinden. De meiden en knechten zitten aan de andere kant van de kelder. Berend hoort hoe een van de mannen vertelt over hun bezoek aan Anholt.

'Het is een mooi kasteel. Het lijkt wel een beetje op dat

van ons. Met een voorburcht die op een eilandje voor de hoofdburcht ligt. Naast de toren van de hoofdburcht ligt de grote zaal. Maar die is lang niet zo groot als de onze!'

'Deze pan is prima!' zegt Walburga. Berend blaast het vuur in de haard aan. Hij legt er wat dunne takken op, dan wordt het snel heet. Als het vuur brandt, loopt hij naar de put om water te halen. Hij plonst de emmer naar beneden.

'Berend, wat ga je doen?' roept een knecht.

'Hij krijgt kookles van Walburga!' weet een meid. De meiden en knechten barsten in lachen uit en de verteller pakt de draad van zijn verhaal weer op.

'De vrouwe van huis Anholt is een stuk jonger dan de heer...'

Berend brengt zijn emmer naar Walburga. Het valt niet mee om onopvallend hun drankje te brouwen! Hij giet het water in de pan. Walburga doet het bosje gedroogde duivekervel erbij. Het is flink wat, maar dat geeft niets. In het boek stond nergens hoeveel de slachtoffers moesten krijgen. Ze hebben besloten elke ochtend en elke avond een beker met wijn en duivekerveldrank aan de roofridder en aan Oswald te geven.

'Gelijkmatigheid is belangrijk, heb ik van mijn moeder geleerd. Dus niet in één keer een heleboel, maar elke dag een beetje,' zei Walburga.

Hopelijk merken ze vanzelf wanneer het werkt.

Zodra de drank klaar is, giet Berend die in een kruik. Walburga heeft wijn warm gemaakt en vult twee bekers. Ze doet er een scheut duivekerveldrank bij en zegt: 'Ik breng mijn vader een beker, breng jij er één naar de roofridder. Ze vinden het vast lekker dat het nog warm is.'

Ze verdwijnt met haar beker de grote zaal in. Berend slaat zijn mantel stevig om zich heen. Met de warme beker in zijn hand gaat hij naar buiten. Er is intussen een flinke wind opgestoken en slagregens hebben iedereen van het plein van de voorburcht verjaagd.

Zo snel hij kan loopt Berend naar de gevangenis. De wachters zitten binnen. Hij klopt op de deur van de toren. Eerst hoort hij flink mopperen, dan worden de grendels verschoven.

'Ik heb een beker wijn voor de heer van de Lichtenberg,' zegt Berend tegen het onvriendelijke gezicht van de wachter.

'Overdreven, om met dit weer nog iets te brengen aan die lastpak,' moppert de man.

Bij het licht van de fakkel daalt Berend voorzichtig het trapje af. De wachter opent de celdeur voor hem.

Het Onkruyt springt verbaasd op van zijn bank.

'Zo Berend, zo laat nog op bezoek?'

'Ik heb warme wijn voor u, heer. Met dit weer moet het geen pretje zijn in deze toren.'

Berend kijkt de roofridder vriendelijk aan en ziet hoezeer de man vermagerd is. Hij is bleek en hij heeft kringen onder zijn ogen. Ineens krijgt Berend medelijden met hem. Het moet verschrikkelijk zijn om al die tijd in deze cel te zitten.

'Wat aardig van je, Berend. Een beetje zorg doet een eenzame gevangene goed,' zegt het Onkruyt. Zijn stem klinkt oprecht blij.

De volgende morgen is het al vroeg erg druk op de voorburcht. Berend heeft net brood en een heerlijke beker warme wijn aan het Onkruyt gebracht. Hij is precies op tijd om de graaf van Meurs Saarwerden het plein op te zien rijden. Zijn mannen stijgen met chagrijnige gezichten van hun paarden. Ze moeten wel de hele nacht hebben doorgereden.

Blijkbaar heeft iemand graaf Oswald en Anna al gewaarschuwd. Ze komen samen de valbrug over om hun gast te verwelkomen. Berend besluit met hen mee te lopen naar de jonge graaf. Dit is een moment waarop hij als page nodig kan zijn.

'Wat ben je vroeg, Johan. En je bent helemaal doorweekt!' Anna's stem klinkt oprecht bezorgd.

'Je vader had me laten weten, wanneer jullie van Anholt vertrokken. Ik kon geen dag langer wachten om je weer te zien.' Johan pakt Anna's beide handen. Dan geeft hij haar een arm en samen wandelen ze naar de grote zaal.

Berend loopt naast graaf Oswald achter hen aan. Walburga komt hen tegemoet. Aan de andere kant van haar vader schuift ze haar arm in de zijne.

'Gaat Anna nu trouwen, vader?' Haar bruine ogen kijken hem onschuldig aan.

'De graaf zal Anna om haar hand vragen. Ik heb hem mijn toestemming al gegeven. Als alles goed gaat, kunnen hij en ik de huwelijkscontracten opmaken,' zegt Oswald tevreden. Hij stapt voor de kinderen uit de grote zaal in.

'Alruinwortel,' fluistert Walburga achter zijn rug.

'Nee!' Berend schudt heftig zijn hoofd. 'Ze heeft gezien wat een stoere ridder de graaf is, toen hij met de andere mannen ten strijde trok.'

De rechtszaak

Er zijn een paar weken verstreken. De huwelijkscontracten van Anna en de graaf zijn getekend. En Berend en Walburga hebben trouw de roofridder en graaf Oswald tweemaal daags hun beker warme wijn met duivekerveldrank gegeven.

Het is gaan vriezen. Op de slotgracht ligt een dun laagje ijs. Berend kan wolkjes blazen als hij 's ochtends uit bed stapt. En die arme roofridder zit nog steeds in de toren. Voordat hij helpt om de bedden aan de kant te maken, zal hij hem zijn ontbijt brengen.

Maar net als hij de trap naar de kelder wil afdalen, roept graaf Oswald hem.

'Berend, zit de heer van de Lichtenberg nog steeds in de toren?'

'Ja heer,' antwoordt Berend verbaasd. Waar zou hij anders zitten, denkt hij.

'Het is eigenlijk wreed om een edelman in de gevangenis op te sluiten,' zegt de graaf bedachtzaam.

Walburga vangt hun gesprek op en ze komt meteen bij hen staan.

'Vader, kun je hem er niet uit laten? Hij kan toch een eed zweren, dat hij niet ontsnapt? Zo hoort dat toch eigenlijk als je een heer van adel opsluit...' Ze legt haar hand op zijn arm.

Graaf Oswald schudt zijn hoofd. 'Ik snap niet, dat ik

het zover heb laten komen. Die man zit nu al maanden in de toren...' Hij strijkt met zijn hand door zijn donkere baard.

Berend en Walburga kijken elkaar aan. Sinds een paar dagen zien ze veranderingen in het gedrag van de graaf. Elke dag lijkt hij iets vriendelijker te worden.

Walburga vormt een woord met haar mond, zonder geluid te maken. 'Duivekervel!'

Berend knikt. Dat moet wel!

'Berend, ga tegen de wacht zeggen dat ze Bernt van Wisch, heer van de Lichtenberg hiernaartoe brengen!'

Berend rent over de brug naar de voorburcht. Hij moet oppassen, want hier en daar is het flink glad. Hijgend komt hij bij de gevangenis aan.

'Jullie moeten de roofridder bij graaf Oswald brengen!' zegt hij.

Hij blijft wachten tot het Onkruyt verschijnt.

Die knippert met zijn ogen tegen het felle zonlicht.

'Dat is langgeleden,' zegt hij. Zijn stem klinkt zacht en zijn kleren fladderen rond zijn lijf. 'Heerlijk die zonneschijn!'

Hij legt zijn hand op Berends schouder en op hem steunend loopt hij naar de grote zaal. Eén wachter loopt voor hen uit, de andere achter hen aan.

Graaf Oswald zit in zijn zetel bij het vuur. Tegenover de zijne heeft hij nog een zetel laten neerzetten.

'Bernt van Wisch, heer van de Lichtenberg, neem plaats,' zegt hij plechtig.

Onzeker gaat de roofridder tegenover hem zitten. Wat is er met de graaf van Bergh gebeurd?

Walburga komt uit de kelder met een kan en twee bekers. Berend schiet haar te hulp. Hij neemt de bekers van haar over, zodat ze de warme wijn kan inschenken. Zoals het een goede page betaamt, brengt hij zijn heer en zijn gast een beker warme wijn, mét duivekervel.

'Dank je,' zegt het Onkruyt vriendelijk. 'Die warme wijn heeft me de afgelopen weken goed gedaan. Daardoor wist ik dat je me niet helemaal vergeten was, Oswald.'

Graaf Oswald kijkt niet-begrijpend naar Berend. 'Warme wijn?'

'Heer, ik wist dat u zich zorgen maakte over uw gast in de toren. Daarom bracht ik hem elke dag warme wijn.' Berend voelt zijn wangen kleuren. Als het nu maar niet misgaat!

'Goed van je, Berend.' Zijn heer knikt tevreden. Dan wendt hij zich weer naar de roofridder.

'Een paar dagen geleden heb ik een brief ontvangen van de Staten van Gelre. We worden uitgenodigd over twee weken ons verhaal te komen doen in Arnhem. Dan zal er recht over ons gesproken worden. Ik stel voor dat we er samen heen reizen.'

Gravin Elizabeth komt naast hem staan. Ze legt haar hand op zijn schouder en zegt: 'Heb je gezien hoe onze gast eruitziet? Je laat hem toch niet terugkeren naar de gevangenis?'

Haar man schudt zijn hoofd. 'Nee. Eerlijk gezegd weet ik niet meer wat me bezield heeft om een heer in de gevangenis op te sluiten. Het spijt me, Bernt. Ik hoop dat je de komende weken wilt gebruiken om aan te sterken in onze huiselijke kring.'

'Ik zweer op alles wat mij lief is, dat ik niet zal ontsnappen,' zegt Bernt van Wisch.

Walburga kijkt naar Berend en trekt haar wenkbrauwen op. Is dit die valse vent die ze in Ulft gevangen hebben genomen? Elke andere ridder zou geweigerd hebben nu nog de eed te zweren. Graaf Oswald heeft zich immers misdragen. Maar het Onkruyt van Wisch, de schrik van Gelre, glimlacht dat zijn mondhoeken er pijn van moeten doen.

'Duivekervel,' zegt Berend zacht. 'Het is echt een toverkruid.'

Twee weken later arriveert een groot gezelschap in de stad Arnhem. Oswald en Bernt van Wisch hebben de hele weg naast elkaar gereden. Bernt heeft zijn zoons geschreven en hen gevraagd ook naar Arnhem te komen. Hij zal ze voor het eerst sinds maanden weerzien in de rechtszaal van de Staten van Gelre.

'Die zoons van Van Wisch begrijpen er straks niets van,' fluistert Walburga als ze naast Berend de zaal binnenloopt.

Achter een grote tafel zitten de vertegenwoordigers van de Staten van Gelre. Langs de wanden van de zaal staan drommen mensen. Iedereen wil weten hoe deze rechtszaak afloopt. Door al die mensen is het behoorlijk warm in de zaal. Het ruikt naar zweet en vochtige kleren.

Berend herkent ineens zijn vader tussen de mensen. Die lacht en zwaait naar hem. Een warm gevoel doorstroomt Berend. Opeens beseft hij dat hij zijn familie gemist heeft. Door de drukte kan hij niet naar zijn vader toe. Maar straks als alles afgelopen is, zal hij hem opzoeken.

'Oswald van den Bergh en Bernt van Wisch, treedt naar voren,' galmt een stem door de zaal.

Oswald en Bernt treden broederlijk naar voren. Een verbaasd gemompel gaat door de zaal. Zijn dit twee ridders die al een jaar een vete uitvechten?

'Oswald van den Bergh, doe je verhaal.' Een man in het midden van de tafel voert het woord.

'Is hij de baas?' fluistert Walburga tegen Berend.

Die haalt zijn schouders op. 'Ik denk het.'

Oswald begint te vertellen. Deemoedig houdt hij zijn hoofd gebogen en de handen op zijn rug.

'Bernt van Wisch heeft mij meermalen beroofd. Hij reed over mijn goederen in Ulft en stal vee en goederen van mijn pachters daar. Ik besloot strafexpedities uit te voeren. Ik weet nu dat ik hem voor de rechtbank had moeten dagen. Bernt werd woedend en roofde opnieuw van mijn pachters. Toen besloot ik hem gevangen te nemen en te gijzelen. Ik heb hem de afgelopen maanden gevangen gehouden op huis Bergh.'

'Bernt van Wisch, heer van de Lichtenberg, wat heb je hierop te zeggen?' De man in het midden kijkt streng naar de roofridder.

Die voelt eens met zijn hand aan zijn litteken. 'Hij lijkt wel verlegen!' hoort Berend iemand zeggen.

Dan begint Bernt te spreken.

'Ik beken dat ik meerdere malen Oswald van den Bergh beroofd heb. Ik stal van de pachters van zijn goederen rond kasteel Ulft. Toen hij me daarvoor strafte, werd ik

kwaad. Ik wilde niet als knecht behandeld worden omdat ik toevallig een bastaard ben. Ik bleef hem beroven, en kan dus best begrijpen dat hij zo woedend werd dat hij mij opsloot.'

'Vader, ben je nu helemaal mal!' Uit de menigte dringt zich een jonge ridder naar voren. 'Oswald heeft je verschrikkelijk behandeld, en nu zeg je dat je dat best begrijpt! Wat is er met je gebeurd?'

Bernt van Wisch glimlacht vriendelijk.

'Mijn woede is op een goede dag gek genoeg helemaal verdwenen. Vanaf dat moment kreeg ik tijd om na te denken. Het was terecht dat Oswald me wilde straffen, maar de manier waarop hij het deed was niet goed. Maar dat gaf mij nog niet het recht zo door te gaan. Als ik als een edelman behandeld wil worden, moet ik me ook zo gedragen.'

Weer stijgt er gemompel op uit de menigte. De jonge ridder schudt vertwijfeld zijn hoofd.

'Wat is er met je, vader? Ik herken je niet meer!'

'Oswald en ik hebben besloten elkaar de hand te geven ten overstaan van iedereen,' legt Bernt aan zijn zoon uit. En hij voegt de daad bij het woord.

'Ik bied je mijn excuses aan voor mijn onrechtmatige gedrag,' zegt Oswald plechtig.

'En ik beloof dat ik en mijn zoons nooit meer jouw goederen zullen plunderen,' zegt Bernt en hij zendt een dreigende blik naar zijn zoon.

De heren van de Staten van Gelre overleggen fluisterend met elkaar. Berend kan zien dat ze er niet veel van begrijpen. Ze hebben zich vast op het ergste voorbereid en nu gedragen die twee driftige ridders zich als lammetjes.

De man in het midden neemt tenslotte het woord.

'Heren, we zijn blij dat jullie er samen zo uitgekomen zijn. We willen het daarom hierbij laten. Jullie beslissing om elkaar de hand te geven, verrast ons. Maar het lijkt ons ook de beste oplossing. Ik verklaar hierbij dit deel van de vergadering gesloten. We gaan straks verder met de rest van onze besprekingen.'

Hij staat op en buigt even naar Oswald en Bernt, ten teken dat ze nu kunnen gaan.

Walburga trekt Berend aan zijn mouw. 'Jij gaat nu vast naar je vader.'

'Ja,' zegt Berend en hij kijkt al om zich heen of hij hem ziet.

'Eerst wil ik nog iets van je horen.' Walburga's stem klinkt ernstig, maar haar bruine ogen kijken hem lachend aan. 'Toen je net bij ons kwam, zei je dat meisjes niets nuttigs leerden. Ben je nu van gedachten veranderd?'

'Helemaal,' zegt Berend uit de grond zijn van hart. 'Zonder jouw toverkruiden was alles anders gelopen. Ik begrijp nu dat heren hun vrouwen hard nodig hebben!'

Over dit boek

Berend van Hackfort heeft echt bestaan. Hij is geboren rond 1480 in Vorden en gestorven in 1557. Toen was hij inmiddels heel beroemd. Tot zijn pensioen in 1544 is hij in dienst geweest van de hertog van Gelre.

Die hertog van Gelre was een nogal vechtlustig heerschap. En Berend moest dus overal voor hem uit vechten. Hij ging zelfs voor de hertog naar Oost-Friesland om oorlog te voeren. Toen het daar vrede werd, was Berend een van de mannen die zijn handtekening daarvoor zette. Daaraan kun je zien hoe belangrijk de hertog hem vond.

Over de jeugd van Berend is weinig bekend. Wel wordt het verhaal verteld, dat hij als puber van huis weggelopen zou zijn. Samen met een troubadour trok hij over de Veluwe. Hij zou zelfs de kost verdiend hebben als schoenmakersknechtje. Hij werd herkend en daarna naar het hof van Karel van Gelre gebracht. Daar werd hij opgeleid voor het leger van de hertog. Hierover kun je meer lezen in *Gevecht met de wolf.*

Wat er voor Berends vijftiende gebeurd is, weet niemand. Tot voor kort wisten we niet eens wanneer hij precies geboren was. We dachten dat het rond 1475 moest zijn.

Een halfjaar geleden kreeg ik een mailtje van Maarten van Driel van het Gelders Archief. Er was een getuigenverklaring opgedoken van Berend uit 1546. Daarin zei Berend dat hij op dat moment 66 jaar oud was. Dat zou betekenen dat hij in 1480 geboren is. Helemaal zeker weten we het nog niet; mensen uit die tijd waren namelijk niet altijd even zorgvuldig als het om het noemen hun leeftijd ging.

Wat Berend deed toen hij acht was, is dus niet bekend. Daarom heb ik *Berend en de toverkruiden* voor een deel verzonnen. Ik heb wel gebruik gemaakt van echte gebeurtenissen.

Het was in 1488 en 1489 erg onrustig in Gelre. Maximiliaan was hertog van Gelre, maar hij verbleef een groot deel van de tijd in het buitenland. Hij kon dus niet alles in de gaten houden.

Graaf Oswald, zijn vrouw Elizabeth en zijn kinderen Walburga, Anna en Willem hebben echt bestaan. Walburga was net zo oud als Berend.

Het Onkruyt van Wisch heeft ook echt bestaan. Hij is de halfbroer van de roofridder van Wisch die in de eerste twee boeken over Berend voorkomt.

Graaf Oswald heeft een vete gehad met Bernt van Wisch. Hij heeft hem op 4 juli 1488 gevangengenomen op huis Ulft. Ik denk alleen niet, dat Bernt echt in het torentje op huis Bergh heeft gezeten. Als een ridder een andere ridder gevangennam, behandelde hij hem als een gast. De gevangene moest dan op zijn erewoord zweren dat hij niet zou ontsnappen. Dat was genoeg.

De rechtszitting van de Staten van Gelre vond plaats in mei 1489. Tot mijn grote verbazing was daarna ineens alles pais en vree. Ik vond die ommekeer heel merkwaardig, vandaar dat ik op het idee kwam de kinderen het humeur van de beide ridders te laten veranderen.

Anna is echt met de graaf van Meurs Saarwerden getrouwd. De huwelijkscontracten werden in februari 1489 gesloten.

Op kasteel Anholt bevindt zich nog steeds een middeleeuws kruidenboek en het kasteel werd aan het eind van de 15^{e} eeuw echt bewoond door het echtpaar Bronkhorst van Batenburg: Jacob Bronkhorst van Batenburg trouwde in 1488 met Agnes van Bentheim-Steinfurt. In 1489 kregen zij een kind.

De recepten van de kruiden zijn ook echt. Ze komen uit het 16^{e} eeuwse *Cruydeboeck* door Rembert Dodoens, medicijn van de stad Mechelen. De liefdesdrank die Anna van haar moeder krijgt, wordt volgens dit boek gemaakt van peen. Gewone winterwortel dus. Dat was wel heel saai. Daarom ben ik van dit recept afgeweken en heb er de alruinwortel voor genomen. Daar worden al eeuwenlang heel verschillende magische krachten aan toegeschreven. De Griekse arts Dioskurides, die in de 1^{e} eeuw na Christus leefde, schrijft dat de wortel liefdeskunsten schijnt te bevorderen. Of dat ook betekent dat je er verliefd van wordt, weet ik eerlijk gezegd niet...

Ik bedank Jacobus Trijsburg van het Gelders Oudheidkundig Contact te Zutphen hartelijk voor zijn hulp. Van hem leende ik veel kruidenboeken en hij controleerde mijn boek op historische onjuistheden.

Dr. Duco van Krugten, conservator van Wasserburg Anholt was zo vriendelijk Rick de Haas en mij het kruidenboek te laten zien. Hiervoor dank ik hem hartelijk.

Wil je een foto zien van Berend? Kijk dan op mijn website *www.martineletterie.nl*. Klik op Berend en je ziet een foto van mij naast het graf van Berend van Hackfort.

De kastelen uit de verhalen van Berend kun je ook zien. Huis Bergh kun je bezoeken en je kunt er zelfs je verjaarspartijtje vieren. Jongens krijgen er een opleiding tot ridder en meisjes tot hofdame.

Kasteel Anholt ligt net over de grens en is ook te bezoeken. Het kruidenboek is zo oud, dat het niet tentoongesteld wordt.

In het Openluchtmuseum in Arnhem kun je een mooie middeleeuwse kruidentuin bekijken.

Andere boeken over Berend zijn: *Een valk voor Berend* en *Berend en de aanslag op de hertog.*

Tot slot kan ik je aanraden om eens de kinderfietsroute *In de sporen van Berend* te fietsen. Je fietst langs de kastelen van Berends ouders en je maakt kennis met het leven van een kind in de middeleeuwen. Onderweg kun je je verkleden en er zijn allerlei leuke opdrachten te doen. Bij het vvv van Vorden krijg je meer informatie: 0575-553222.

Veel plezier!

Martine Letterie